HafenCity & Speicherstadt

SUTTON
VERLAG

Moderne trifft auf Tradition: Blick vom Kaiserkai, Seite Sandtorhafen, auf die Speicherstadt und St. Nikolai.

Dorothée Engel und Michael Pasdzior

HafenCity & Speicherstadt

SUTTON VERLAG

Ein fotografischer Streifzug

Mit einem Vorwort von Prof. Jörn Walter,
Oberbaudirektor der Freien und Hansestadt Hamburg

Im Jahr 2008 bestimmten noch Krane das Erscheinungsbild von Sandtorkai und Dalmannkai. Im Vordergrund das ehemalige Verwaltungsgebäude der HFLG, die Vorgängerin der heutigen HHLA, der Hamburger Hafen und Logistik AG. Links im Hintergrund ist die Köhlbrandbrücke zu sehen, rechts das Hanseatic Trade Center (HTC).

Impressum
Sutton Verlag GmbH
Hochheimer Straße 59
99094 Erfurt
www.suttonverlag.de
Copyright © Sutton Verlag, 2013
ISBN: 978-3-95400-159-0
Druck: L.E.G.O. S.p.A., Italien

Umschlagbild
Blick aus dem 12. Stockwerk des ovalen Hochhauses an der Coffee Plaza auf den Sandtorhafen und die Elbphilharmonie.

INHALT

Blick auf Kehrwieder- und Brooksfleet. Im Hintergrund rechts sind die Turmspitzen des ehemaligen Verwaltungsgebäudes der HFLG zu erkennen.

Die Speicherstadt ist hinsichtlich ihrer Dimension und ihres architektonischen Anspruches weitgehend einzigartig auf der Welt geblieben und das wohl prägnanteste Denkmal der langen Hamburger Hafenbaugeschichte. Zu danken ist ihre Entstehung der Sorge der Hamburger Kaufleute, ihnen könnte durch zollrechtliche Einschränkungen die wirtschaftliche Grundlage für die weitverzweigten internationalen Handelsbeziehungen entzogen werden. Deshalb lehnte Hamburg schon 1834 den Beitritt zum Deutschen Zollverein ab und bewahrte sich dieses Privileg auch im Zuge der Deutschen Reichsgründung 1871. Erst auf das wiederholte Drängen von Reichskanzler Bismarck kam es 1881 zu einem für beide Seiten verträglichen Kompromiss, bei dem sich Hamburg verpflichtete, dem Deutschen Zollgebiet beizutreten, dafür aber das Freihafenprivileg erhielt. Folge war, dass die bis dahin im Stadtgebiet verteilten Lagerkapazitäten innerhalb weniger Jahre bis 1888 im künftigen Freihafengebiet neu geschaffen werden mussten. So entstand das einzigartige Speicher- und Lagerhausensemble, das wegen seiner Größe zu Recht den Namen »Stadt« trägt. Gestalterisch folgt es der sogenannten »Hannoverschen Schule«, die mit ihrer neogotischen Backsteinarchitektur den Gewerbe- und Ingenieurbau in Norddeutschland in der zweiten Hälfte des 19. Jahrhunderts maßgeblich beeinflusst hat. Hier hatten Franz Andreas Meyer, der zuständige Oberingenieur der Baudeputation, und Eduard Vermehren, sein späterer Nachfolger, studiert. Ihr Impetus und ihre durch die Hamburger Freihafenlagerhausgesellschaft gestützte starke Stellung führte zu dem insgesamt einheitlichen Charakter der Speicherstadt, obwohl zahlreiche andere Architekten an der Realisierung beteiligt waren und an dem Gesamtensemble bis in die 20er Jahre des 20. Jahrhunderts hinein gebaut wurde.

Die Straße Am Sandtorkai. Blick auf das Hanseatic Trade Center.

Blick von der Kornhausbrücke auf den Block P der Speicherstadt.

Heute hat die Speicherstadt ihre ursprüngliche Lagerfunktion für Kakao, Tee, Kaffee und viele andere Importwaren zum großen Teil verloren und die ehemals bestimmenden Quartiersleute sind weitgehend verschwunden. Allein der Orientteppichhandel verleiht ihr noch eine spezifische und sichtbare Prägung. Nach einem behutsamen Konzept werden die Speicherblöcke Schritt für Schritt denkmalgerecht saniert und füllen sich mit Büronutzungen, Museen und Ateliers, in Zukunft aber auch mit einem Hotel und dort, wo es der Hochwasserschutz erlaubt, punktuell auch mit Wohnen. All dies unter der strengen Aufsicht der Denkmalpflege und einer Gestaltungsverordnung, die bis heute das historische und einzigartige Flair der Speicherstadt erhalten konnte. Dies ist auch Voraussetzung für das Ziel der Freien und Hansestadt Hamburg, die Speicherstadt gemeinsam mit dem Kontorhausviertel in die Weltkulturerbeliste aufnehmen zu lassen.

Südlich der Speicherstadt entwickelt sich seit der Jahrhundertwende Hamburgs größtes Stadterweiterungsprojekt, die HafenCity. Der neue Stadtteil wird auf einer Fläche von über 150 ha Hamburg Platz für rd. 6.000 neue Wohnungen und annähernd 40.000 Arbeitsplätze bieten. Nicht nur die bislang periphere Lage der Speicherstadt wird sich dadurch verändern, sondern auch das räumliche Gefüge der ganzen Hamburger Innenstadt. Die Speicherstadt übernimmt dabei die Rolle eines großen Milieugebers für die neue HafenCity, die ansonsten durch Kriegszerstörungen und die historische Entwicklung kaum über erhaltenswerte alte Gebäude verfügt. Obwohl es immer wieder Überlegungen zu einer Kopie der Speicherstadtbauten gab, war doch bald klar, dass man das aus einer historischen Sondersituation entstandene Ensemble weder funktional noch architektonisch einer urbanen Innenstadterweiterung um 40 Prozent überstülpen kann. Die großen Maßstäbe der Speicherstadt hätten näm-

lich vorausgesetzt, dass die HafenCity auf den Massenwohnungsbau, große Unternehmenszentralen und Einkaufszentren hätte ausgerichtet werden müssen, was sowohl unter dem Gesichtspunkt der Urbanität als auch der Bedarfslage Hamburgs der Aufgabe widersprochen hätte. So entschied man sich, die Speicherstadt siedlungsstrukturell als ein besonderes Quartier zu lesen, das in seiner Eigenart nicht durch mehr oder minder gelungene Nachbauten entwertet werden soll, sondern durch den Kontrast zur neuen Architektur als besondere historische Schicht dauerhaft lesbar herauszuarbeiten ist.

Blick auf die Elbphilharmonie. Links das Hanseatic ▸
Trade Center, rechts im Hintergrund der Marco Polo
Tower und die Unilever-Deutschlandzentrale.

Ästhetisch hat die HafenCity deshalb einen Weg eingeschlagen, der sich bewusst von der vordergründigen Bild- und Formsprache des Neotraditionalismus aber auch des Hypermodernismus absetzt und stattdessen nach einer qualitätsvollen zeitgenössischen Architektur mit sozialer, ökologischer und wirtschaftlicher Bodenhaftung sucht. Im Vordergrund steht das Ziel, ein gemischtes, erlebnisreiches und urbanes Stadtquartier für das neue Jahrhundert zu bauen, das traditionelle und bewährte Elemente des Städtebaus aufnimmt, sie aber für unsere heutigen und zukünftigen Bedürfnisse interpretiert und den spezifischen maritimen Charakter der HafenCity herauszuarbeiten sucht. Deshalb wird sowohl den Hafenbecken als den zentralen öffentlichen Orten, den städtebaulichen Raumfolgen mit Straßen, Gassen und Plätzen wie auch einer qualitätsvollen Architektur höchste Aufmerksamkeit geschenkt. Und es lässt sich bereits heute erahnen, dass hier eine »normale« Stadt mit ihren Alltäglichkeiten, aber auch Höhepunkten, entsteht, die in einem gewissen Sinne ebenso »vertraut« wie »neu« ist. Ob der Spagat am Ende gelingt, wird sich noch zeigen müssen. Für eine spannende Auseinandersetzung mit dieser Thematik gibt ein Spaziergang durch Speicherstadt und HafenCity aber schon heute genügend Anlass.

Jörn Walter
Oberbaudirektor
der Freien und Hansestadt Hamburg

◀ *Blick auf den Kaiserkai und die Elbphilharmonie.*

STAND DER FLÄCHENENTWICKLUNG

FERTIGGESTELLT   IM BAU / BAUVORBEREITUNG   ANHANDGABE / ARCHITEKTENWETTBEWERB   AUSSCHREIBUNG / ANHANDGABEREIFE   FLÄCHENVORBEREITUNG

© HAFENCITY HAMBURG GMBH, OKTOBER 2012

I QUARTIER AM SANDTORKAI / DALMANNKAI

Bebauung abgeschlossen

(04) Elbphilharmonie, Konzerthallen / Hotel / Wohnen / Parken

II QUARTIER AM SANDTORPARK / GRASBROOK

Bebauung abgeschlossen

(03) HANSA-Baugenossenschaft / Roggenbruck GbR / Baugemeinschaft (Mevius Mörker u. Pfadt & Pfadt), Wohnen / Kita / Publikumsbezogene EG-Nutzungen, ca. 17.000 m²

III QUARTIER BROOKTORKAI / ERICUSSPITZE

Bebauung abgeschlossen

IV QUARTIER STRANDKAI

(05) Wohnen/ Publikumsbezogene EG-Nutzungen, 15.900 m²

(06) Wohnen/ Publikumsbezogene EG-Nutzungen, 9.900 m²

(07) Wohnen/ Publikumsbezogene EG-Nutzungen, 31.100 m²

(08) Marco Polo Tower / DC Residential / Hochtief Development, Wohnen / Publikumsbezogene EG-Nutzungen, 10.000 m²

(09) Unilever / Hochtief Development, Büro / Publikumsbezogene EG-Nutzungen, 27.190 m²

(45) DS Bauconcept / Greenpeace, Büro / Dienstleistung, 8.500 m²

(46) Hauptzollamt Hamburg-Stadt, Büro / Dienstleistung, 9.140 m²

(47) Zunächst Bestand

(48) Stadthaushotel HafenCity, Jugend hilft Jugend e.V., 4.500 m²

(49) NIDUS, Wohnen / Büro / Publikumsbezogene EG-Nutzungen, 4.725 m²

(49A) Brücke-Ökumenisches Forum HafenCity e.V., Kircheneinrichtungen / Wohnen / Dienstleistung, 4.427 m²

(50) Bürgerstadt AG, Musikerwohnen / Büro / Publikumsbezogene EG-Nutzungen, ca. 4.725 m²

(51) Büro / Dienstleistung / Publikumsbezogene EG-Nutzungen, ca. 30.000 m²

(52) a+b ECE, Büro / Dienstleistung / Publikumsbezogene EG-Nutzungen, 24.800 m²

(53) ECE, Wohnen / Publikumsbezogene EG-Nutzungen, ca. 6.400 m²

(54) HafenCity Universität, 24.000 m²

(00) Engel & Völkers AG, Büro / Wohnen / Sondernutzungen / Publikumsbezogene EG-Nutzungen, ca. 21.500 m²

V ÜBERSEEQUARTIER

(34) ING Real Estate / SNS Property Finance / Groß & Partner Überseequartier, Freizeit / Kultur / Handel / Dienstleistung / Büro / Wohnen, ca. 303.000 m²

(34/12) Science Center / Wissenschaftstheater, ca. 23.000 m²

(34/14) Kreuzfahrtterminal / Hotel, ca. 33.000 m²

(34/15) + (34/16) Wohnen / Hotel / Sondernutzungen / Publikumsbezogene EG-Nutzungen, ca. 30.000 m²

VI ELBTORQUARTIER

(40) Internationales Maritimes Museum Hamburg

(41) Bestandsgebäude Gebr. Heinemann

(42) Gebr. Heinemann, Büro / Publikumsbezogene EG-Nutzungen, ca. 8.000 m²

(43) Garbe Group / Otto Wulff, Wohnen / Publikumsbezogene EG-Nutzungen / 1. OG, 10.000 m²

(44) a Universal Living, Wohnen / IF design / Publikumsbezogene EG-Nutzungen, 6.506 m²

b Primus Development / Designxport, Büro / Dienstleistung, 4.566 m²

VII QUARTIER AM LOHSEPARK

(66) Marquard & Bahls AG, Büro / Publikumsbezogene EG-Nutzungen, ca. 18.000 m²

(67) Bundesanstalt für Immobilienaufgaben, Büro, ca. 9.000 m²

(68) Dokumentationszentrum Hannoverscher Bahnhof (Ausstellung)

(69A) Prototyp - das Automuseum in Hamburg

(70) Otto Wulff / Bergedorf-Bille, Wohnen / Kita / Publikumsbezogene EG-Nutzungen / zusätzlich Büro, 20.000 m²

(71) STATTBAU / Conplan / Behrendt / Frank Gruppe, Wohnen / soziale Dienstleistungen / Publikumsbezogene EG-Nutzungen / zusätzlich Büro, 20.000 m²

(76) Hotel / Wohnen / Publikumsbezogene EG-Nutzungen, ca. 17.000 m²

(77) weiterführende Schule und evtl. Grundschule

VIII QUARTIER OBERHAFEN

(79) a Halle 2
b Gleisüberdachung
c Halle 3
d Halle 4

IX QUARTIER BAAKENHAFEN

(zurzeit Infrastrukturentwicklungen)

X QUARTIER ELBBRÜCKEN

U4 1. Haltestelle Überseequartier mit 3 Ausgängen (westliche HafenCity)
2. Haltestelle HafenCity Universität mit 2 Ausgängen (zentrale HafenCity)

Blue Port – ein Lichtkunst-Projekt des Hamburger Künstlers Michael Batz, das seit 2008 alle zwei Jahre stattfindet. Blick über das Nikolaifleet auf das Hanseatic Trade Center und die Elbphilharmonie.

Am 29. Oktober 1888 legte Kaiser Wilhelm II. an der Brooksbrücke den Schlussstein für den ersten Bauabschnitt der Speicherstadt. Damals war etwa ein Drittel der Speicherbauten fertiggestellt. Zwischen 1891 und 1896 entstanden die Blöcke P, Q und R, die die Straßen Kannengießerort, Neuer Wandrahm, Bei St. Annen und St.-Annen-Ufer umfassten. Der dritte Bauabschnitt, mit den Blöcken S bis X, zog sich über die Straßen Bei St. Annen, Alter Wandrahm, Holländische Reihe, Poggenmühle, Holländischer Brook und Brooktorkai. Der geplante vierte Abschnitt auf der Ericusspitze mit den Blöcken Y und Z wurde nie gebaut.

◀ *Die Brooksbrücke. Vorne rechts die Figur der Hammonia, links die der Europa. Die Originalfiguren wurden im Zweiten Weltkrieg zerstört. Die neuen stammen vom Bildhauer Jörg Plikat, gestiftet wurden sie von Albert Darboven. Die Figuren am südlichen Ende der Brücke, Barbarossa und St. Ansgar, sind ebenfalls neu erbaut worden.*

*Blick über die Bahnlinie auf den Speicherblock X,
2008. Im Hintergrund sind die Türme von
St. Katharinen (links) und St. Nikolai (rechts)
zu erkennen.*

Pisa hat den Schiefen Turm, Hamburg die Oberhafen-kantine – Hamburgs schrägster Ort. Die Oberhafen-kantine gibt es seit 1925, sie hat den Zweiten Weltkrieg überstanden und so manches Hochwasser. Wenn Sie einmal dort sind, sollten Sie sich die original Hamburger Weißwurst (!) nicht entgehen lassen …

Links: Das Wasserschloss, das auf einer Halbinsel steht, diente als Kulisse in der TV-Kinderserie »Die Pfefferkörner«.

Rechts: Die Rückseite des Wasserschlosses. Rechts davon blickt man in das Wandrahmsfleet, links in das Holländischbrookfleet. Im Hintergrund die Elbphilharmonie.

Es duftet verführerisch hinter den Türen des Wasserschlosses: Mehr als 200 Sorten Tee hat das »Teekontor« im Angebot. Früher war es Wohnhaus für das technische Personal der Speicherstadt. Im Hintergrund erkennt man den Speicherblock W.

Blick vom Holländischbrookfleet auf das sogenannte »Rathaus« der Speicherstadt, das Hauptgebäude der HHLA, der Hamburger Hafen und Logistik AG. Das Gebäude wurde nach Entwürfen der Firma Hanßen & Meerwein und Johannes Grotjan gebaut und 1903 eingeweiht. Es steht auf 463 Eichenpfählen. Der angrenzende Block U gehört heute ebenfalls zur Unternehmenszentrale der HHLA.

Der Speicherblock U.

Über den Dächern von Hamburg. Im Vordergrund der Uhrturm der HHLA-Zentrale. Dahinter von links nach rechts: der Michel, St. Katharinen, St. Nikolai, der Fernsehturm und der Mittelturm des Rathauses.

Das heutige Fleetschlösschen war früher ein Kontrollposten der Feuerwehr. Heute ist es ein beliebtes Café und Bistro.

Das Fleetschlösschen. Im Hintergrund ist die Zentrale der HHLA mit dem angrenzenden Speicherblock U zu sehen.

Das ehemalige Verwaltungsgebäude der HFLG von 1887. Der Bau besticht durch seine Türme und den Erker. Im Hintergrund links ist das ovale Hochhaus der Coffee Plaza zu sehen – Sitz der Neumann-Gruppe, weltweit führendes Unternehmen in allen Bereichen des Rohkaffees. (Foto links)

Um die Speicherstadt zu bauen, gründeten der Hamburger Senat, die Norddeutsche Bank und einige Kaufleute im Frühjahr 1885 die Hamburger Freihafen-Lagerhaus-Gesellschaft, die HFLG. Sie war die Vorgängerin der heutigen HHLA.

◀ *Abendstimmung in der Speicherstadt. Das ehemalige Verwaltungsgebäude der HFLG und das hell erleuchtete Hochhaus der Coffee Plaza in der HafenCity ...*

... sowie der Speicherblock V und das Fleetschlösschen. Im Hintergrund die Zentrale des Germanischen Lloyd.

Frühlingsstimmung: das Restaurant »Schönes Leben« – nomen est omen.

◀ *Die Kornhausbrücke. Sie wurde zwischen 1886 und 1887 von Franz Andreas Meyer gebaut und führte zum Kaispeicher B, früher ein Getreidespeicher, in dem sich heute das Internationale Maritime Museum befindet.*

Der Blick von der Kornhausbrücke nach rechts, auf den Block P. Dieser Block liegt am Kleinen Fleet, an dessen gegen-überliegender Seite der Sandthorquaihof steht. Im Vordergrund: der Zollkanal.

◀ *Der Blick von der Kornhausbrücke nach links, auf das ehemalige Zollgebäude am Alten Wandrahm. Früher für die Abfertigung von Orientteppichen genutzt, zeigt heute das Deutsche Zollmuseum den Besuchern alles Wissenswerte zur Zollgeschichte.*

Kontor- und Speicherblock H, der Sandthorquaihof. Im Vordergrund die Pickhubenbrücke. Der Block wurde zwischen 1887 und 1888 von Georg Thielen für die Kontore der Rohkaffeehändler gebaut. Die ursprüngliche Figur an der Gebäudeecke wurde im Zweiten Weltkrieg zerstört. Der »Verein der am Caffeehandel betheiligten Firmen« hat sich für einen neuen Löwen eingesetzt. Heute sind hier u. a. die Zeitschrift und der Buchverlag »mare« untergebracht.

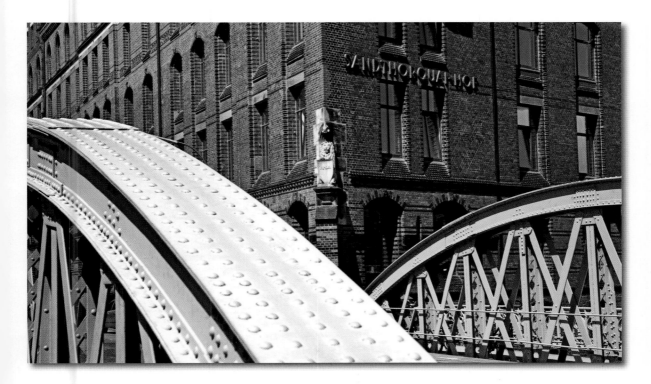

41

Am 1. Januar 1879 gründeten Alfred Moritz Lyon und Gustav Vincent Hälssen ihr Teehandelsunternehmen Hälssen & Lyon. 1887 zog die Firma in das Haus Pickhuben 9 ein. Damit ist eines der führenden Teehandelshäuser Europas ältester Mieter der Speicherstadt.

◀ *Blick vom Pickhuben auf die Kibbelstegbrücken. Der Übergang von der links gelegenen Kaffeebörse zum rechts gelegenen Sandthorquaihof ermöglichte es den Kaffeehändlern, sich trockenen Fußes zwischen der Börse und den Kontoren zu bewegen. Links der Block G, hinter den Brücken schließt sich der Kontor- und Speicherblock E an.*

Am Sandtorkai. Block M und N. Daneben ist das Kesselhaus zu erkennen.
Es wurde bereits 1888 mit gasbetriebenen Turbinen ausgestattet und
versorgte die gesamte Speicherstadt mit Energie. Seinerzeit waren
die Schornsteine massiv. Sie wurden zerstört und daher
2011 durch die Stahlkonstruktionen ersetzt. Heute
ist im Kesselhaus das Informationszentrum der
HafenCity untergebracht. Im Hintergrund
das HTC.

Der Block N grenzt direkt an die Kibbelstegbrücken. Bis zur Herausnahme der Speicherstadt aus dem Freihafengebiet 2002 wurde in diesem Speicher noch Rohkakao gelagert. Im ersten Obergeschoss, von der Brücke zugänglich, befinden sich heute eine Bankfiliale und das Restaurant Vlet. Daneben ein modernes Parkhaus (2005) von den Hamburger Architekten gmp – Gerkan, Marg und Partner.

Die Kibbelstegbrücken werden bei Sturmflut für Rettungsfahrzeuge geöffnet. Der erste Rammschlag für diese Brücken markierte 2001 den Baubeginn für die neue Infrastruktur der HafenCity. Bei Sturmflut sichern die Brücken eine hochwassersichere Zufahrt für Feuerwehr, Polizei und Rettungsfahrzeuge und sind damit die Voraussetzung für eine nichthafenbezogene Nutzung in der HafenCity. Die Brücken sind eine wichtige Verbindung zwischen City, Speicherstadt und HafenCity. Für Radfahrer, Fußgänger und …

… Hunde!

DIE HAFENCITY

Seit 2001, inzwischen also zwölf Jahre, ist die HafenCity in Bau. Mittlerweile wohnen hier ca. 2.000 Menschen, zahlreiche Restaurants, Cafés und Geschäfte laden zum Einkaufen und Genießen ein und mehr als 450 Unternehmen bieten Arbeitsplätze.

Die Elbphilharmonie, Hamburgs neues Konzerthaus, ist der architektonische und optische Mittelpunkt der HafenCity. Auf dem Kaiserhöft gelegen, ist sie schon jetzt, neben dem Michel, das Wahrzeichen der Stadt.

Der Sandtorhafen, von 1862 bis 1872 gebaut, war der erste künstlich angelegte Seeschiffhafen Hamburgs. Die Schiffe konnten direkt vom Sandtorkai aus be- und entladen werden.

AM SANDTORKAI UND DALMANNKAI

Im Frühjahr 2009 wurde das im Nordwesten der HafenCity gelegene Quartier Am Sandtorkai/Dalmannkai fertig gestellt. Mittelpunkt ist der Sandtorhafen mit dem Traditionsschiffhafen, an dessen Pontons bis zu 30 historische Segler festmachen können.

Der Sandtorkai liegt auf der Nordseite des Hafenbeckens, dahinter erstreckt sich die Speicherstadt. Die Südseite bildet der Dalmannkai mit dem Grasbrookhafen. Die Spitze des Dalmannkais wird in ein paar Jahren die Elbphilharmonie zieren.

Die Magellan-Terrassen am Kopfende des Sandtorhafens und die Marco-Polo-Terrassen am Grasbrookhafen sind die größten Plätze der HafenCity.

Singles, Familien und Senioren haben hier ein neues Zuhause gefunden. Das Vorurteil, Wohnungen in der HafenCity könnten sich nur »Reiche« leisten, stimmt so nicht. Es gibt neben Wohnungen im Luxussegment auch solche für mittlere Einkommen, die von Wohnungsbaugenossenschaften und Baugemeinschaften zur Verfügung gestellt werden.

Obwohl erst ca. 50 Prozent fertig gestellt sind, ist die HafenCity bereits heute ein lebendiger Stadtteil – für Bewohner und Besucher gleichermaßen.

Blick aus dem Hochhaus der Coffee Plaza auf den Sandtorhafen mit den Magellan-Terrassen im Vordergrund. ▸

Der Sandtorhafen zur blauen Stunde.

Der Sandtorhafen im Winter 2009. Die Silhouette der Elbphilharmonie ist noch nicht zu sehen.

Winter 2009 – Eisgang im Sandtorhafen.

Impressionen des Sandtorhafens, Seite Am Sandtorkai.

Sandtorhafen, Seite Kaiserkai. Im Mittelpunkt der elfgeschossige ovale Wohnturm, links daneben ein Bürogebäude.

Blick auf den Sandtorhafen. Im Hintergrund das Hochhaus auf der Coffee Plaza.

Sandtorhafen, Seite Kaiserkai.

Die Magellan-Terrassen wurden im Juni 2005 eingeweiht und sind seither ein beliebter Treffpunkt. In der Mittagspause und zum Tanzen.

*»Sommer in der HafenCity« ist ein jährliches Veran-
staltungsprogramm mit zahlreichen, unterschiedlichen
kulturellen Angeboten: Musik, Lesungen und Tango!*

Der Dalmannkai und die Marco-Polo-Terrassen im Februar 2008.

Blick über den Grasbrookhafen auf den Dalmannkai und die Elbphilharmonie im November 2012.

Herbststimmung auf den Marco-Polo-Terrassen.

Summer in the city …

Entspannen auf den Marco-Polo-Terrassen. Die Terrassenanlage bietet den Besuchern Holzdecks und Grünflächen, und es gibt sogar eine Sandbahn, um Boule zu spielen.

Blick von der Dalmannkai-Promenade über den Grasbrookhafen auf den Marco Polo Tower und das Unilever-Gebäude.

Der Dalmannkai vom Hübenerkai aus gesehen.

Wie der Sandtorhafen und die Magellan-Terrassen bieten auch die Marco-Polo-Terrassen und die Dalmannkai-Promenade Veranstaltungen und eine vielfältige Gastronomie.

Von der Dalmannkai-Promenade kommt man über eine Rampe zum Vasco-da-Gama-Platz.

Der Vasco-da-Gama-Platz ist der Mittelpunkt des Dalmannkai-Quartiers. Gemütliche Cafés, Geschäfte und ein Basketballplatz laden zum Verweilen ein.

*Blick auf die Dalmannkai-Promenade, den Vasco-
da-Gama-Platz und das ovale Hochhaus am
Sandtorhafen, Seite Kaiserkai.*

Der Komplex der Elbphilharmonie steht am südlichen Ende der Dalmannkai-Promenade, auf dem Kaiserhöft. Die Basis des Baus bildet der Kaispeicher A. Er wurde 1875 als »Kaiserspeicher« zwischen dem Sandtorhafen und dem Grasbrookhafen gebaut. Der im Zweiten Weltkrieg stark beschädigte Speicher wurde 1963 gesprengt, um einem modernen Kaispeicher Platz zu machen, der 1965 in Betrieb genommen wurde.

Am 2. April 2007 war die Grundsteinlegung für die Elbphilharmonie. Der Backsteinbau des ehemaligen Kaispeichers wurde entkernt und soll später u. a. als Parkhaus fungieren. Darüber werden zwei Konzertsäle gebaut, die über ca. 2.000 bzw. 500 Plätze verfügen. Darüber hinaus finden ein Hotel und ca. 50 Wohnungen in der Elbphilharmonie Platz.

Wann der Bau endgültig fertig sein wird, ist noch offen. Zurzeit, d.h. im Dezember 2012, hofft man auf August 2015.

◀ *Hafengeburtstag 2011. Von links nach rechts: das HTC, das Hochhaus auf der Coffee Plaza, die Kehrwiederspitze und die Elbphilharmonie.*

Blick auf die »Cap San Diego«, einen der schönsten ▶
Stückgutfrachter, heute Museumsschiff, und die
Elbphilharmonie. Rechts im Hintergrund der
Marco Polo Tower und das Unilever-Gebäude.

Baustelle Elbphilharmonie.

Am 9. Dezember 2012 wurde der Anleger »Elbphilharmonie« offiziell seiner Bestimmung übergeben. Die neue Linie 72 verbindet die Elbphilharmonie im 30-Minuten-Takt mit den St. Pauli Landungsbrücken und dem südlichen Elbufer mit dem Anleger Arningstraße.

Der neue HADAG-Anleger »Elbphilharmonie«. Von hier gelangt man direkt zum Platz der Deutschen Einheit vor der Elbphilharmonie.

Die breite Freitreppe vor der ▶ Elbphilharmonie heißt seit Frühjahr 2012 Platz der Deutschen Einheit. Im Herbst 2012 wurde hier ein Originalstück der Berliner Mauer, das vorher am Horner Kreisel gestanden hatte, aufgestellt.

Während es im November eher ungemütlich ist, lädt die Freitreppe im Sommer zur Mittagspause ein – oder auch zum Mittagsschläfchen …

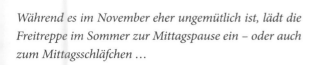

Das Quartier Am Sandtorpark/Grasbrook liegt zwischen Sandtorhafen und Überseequartier. Den Mittelpunkt bildet der im Frühjahr 2011 eingeweihte Sandtorpark. Um ihn herum gruppieren sich Wohn- und Bürogebäude sowie eine Schule. Herausragendes Bauwerk ist der zwölfstöckige Ellipsen-Turm, in dem die Neumann-Kaffee-Gruppe ihren Sitz hat.

Im August 2009 wurden die ersten Schülerinnen und Schüler in der Katharinenschule eingeschult.

Das Außergewöhnliche: Ihr Pausenhof befindet sich auf dem Dach der Schule. Im Gebäude der Grundschule ist auch eine Kindertagestätte der Diakonie des Kirchenkreises Alt-Hamburg untergebracht, die eine Betreuung ab dem Krippenalter gewährleistet.

Das Quartier ist ausgesprochen grün und familienfreundlich. Im Süden entsteht zurzeit der Grasbrookpark, der als »großer grüner Spielpark« konzipiert wurde.

Am Sandtorpark.

Am Sandtorpark (links) und an der International Coffee Plaza lässt sich gut Kaffee trinken.

◀ *Herbstliche Stimmung im Sandtorpark.*

An und in der Katharinenschule.

Wer hätte sich als Kind nicht so eine Grundschule gewünscht … In den Pausen steigt man aufs Dach der Katharinenschule.

Zwei spektakuläre Bauten prägen den Strandkai: die Deutschlandzentrale des Unilever-Konzerns und der Marco Polo Tower. Der östliche Teil des Areals ist noch nicht bebaut. Hier sind weitere Gebäude mit mehr als 500 Wohnungen geplant.

Hinter dem Gebäudekomplex liegt das Hamburg Cruise Center. Der Kreuzfahrtterminal ist eine temporäre Lösung und wird voraussichtlich 2015 durch ein entsprechendes Bauwerk ersetzt.

*Blick vom Strandhafen auf den Marco Polo Tower
und die Unilever-Deutschlandzentrale. 2009 gewinnt
Unilever den Preis für das beste Bürogebäude der Welt
beim World Architecture Festival Award für bewun-
dernswertes und nachhaltiges Bürodesign.*

Die Bebauung des Strandkai besticht durch ihre imposante Bauten: die Deutschlandzentrale von Unilever und einen exklusiven Wohnturm, den Marco Polo Tower.

Die »Queen Mary 2« hat wieder einmal am Hamburg Cruise Center festgemacht. Mit ihrer Länge von 345,03 Metern ist sie das drittlängste Passagierschiff der Welt.

Blaue Stunde am Strandkai.

DAS ÜBERSEEQUARTIER UND DIE ERICUSSPITZE

Das Überseequartier gilt als »Herzstück« der HafenCity. Zentrum ist der Überseeboulevard. Die ca. 750 Meter lange Fußgängerzone ist geprägt von Einzelhandel und Gastronomie.

Am 1. Dezember 2012 wurde unter dem Motto »Nächster Halt: HafenCity« die neue U-Bahnlinie U4 eröffnet. Damit hat das Überseequartier einen eigenen U-Bahnanschluss erhalten. Der Linienweg führt von Billstedt über den Jungfernstieg zu den Haltestellen »Überseequartier« und »HafenCity Universität«.

Eine außergewöhnliche Perspektive auf ein Stück des Überseeboulevards.

◀ *Am Sandtorpark, Ecke Koreastraße.*

Auf dem Überseeboulevard findet jeder schnell seinen ganz persönlichen Lieblingsplatz.

Die Kreuzung Überseeallee, Am Dalmannkai, San-Francisco-Straße, Am Sandtorpark.

30. November 2012: Nach fünf Jahren Bauzeit ist die U-Bahnlinie U4 fertig gestellt. Der reguläre Betrieb startete am 9. Dezember. Der zweite neue Bahnhof, HafenCity-Universität, wird voraussichtlich im Herbst 2013 freigegeben.

Auf der anderen Seite der Osakaallee, im ehemaligen Kaispeicher B, befindet sich das Internationale Maritime Museum Hamburg. Seit 2008 zeigt Peter Tamm dort seine außergewöhnliche Sammlung von wertvollen Exponaten, Gemälden und Schiffsmodellen. Im Vordergrund eine alte Leuchtturmspitze.

Das Störtebeker-Denkmal von Hansjörg Wagner steht inzwischen auf der Promenade, die parallel zur Osakaallee verläuft, gegenüber dem Maritimen Museum.

Im Vordergrund die Zentrale des Germanischen Lloyd. Das 1867 gegründete weltweit tätige Unternehmen klassifiziert die Schiffe für die jeweiligen Schiffsklassen.

Früher befand sich hier das Hauptzollamt Ericusbrücke/Brooktorkai. Das kleine historische Gebäude ist das letzte verbliebene Zollgebäude des Zollamtes.

Am nordöstlichen Eingang der HafenCity steht das markante Gebäude der Spiegel-Gruppe.

»Blue Port«: Im Vordergrund eine Nana-Figur von Niki de Saint Phalle. ▸

Die Ericusspitze mit den Deichtorhallen.

Die Speicherstadt

Ein Spaziergang durch die Historie

Dorothée Engel

978-3-95400-094-4 | 10,00 € [D]

Dorothée Engel führt zurück zu den Anfängen der Speicherstadt, für deren Bau rund tausend Häuser abgerissen, alte Kanäle zugeschüttet, neue gezogen sowie Zehntausende Holzpfähle in den Boden gerammt wurden.

www.suttonverlag.de